FIESTAS DEL AGUA

SONES Y LEYENDAS DE TIXTLA

Dirección editorial
Ana Laura Delgado

Cuidado de la edición
Angélica Antonio Monroy

Corrección de estilo
Ana María Carbonell

Revisión de finas
Rosario Ponce

Diseño
Julio Torres Lara
Ana Laura Delgado

Formación
Yolanda Rodríguez
Javier Morales Soto

Primera edición, mayo de 2012
D.R. © 2012. Ediciones El Naranjo, S. A. de C. V.
          Cerrada Nicolás Bravo núm. 21-1,
          Col. San Jerónimo Lídice, 10200, México, D. F.
          Tel./fax (55) 5652 1974
          elnaranjo@edicioneselnaranjo.com.mx
          www.edicioneselnaranjo.com.mx

ISBN: 978-607-7661-34-4

Impreso en China • *Printed in China*

FIESTAS DEL AGUA

SONES Y LEYENDAS DE TIXTLA

CATERINA CAMASTRA / HÉCTOR VEGA ❖ JULIO TORRES LARA ILUSTRACIONES

1 Un nombre
con muchas historias

TIXTLA ES UNA CIUDAD PEQUEÑA, DE CALLES QUE SUBEN Y BAJAN ENTRE casas de techos de teja, iglesitas de colores y, a la vuelta de cada esquina, hermosas vistas de los cerros de alrededor. Se encuentra en el estado de Guerrero, en la Sierra Madre, a un ladito de Chilpancingo. Desde que, en tiempos antiguos, el emperador Moctezuma envió al señor Tzapotecuhtli a que la estableciera, Tixtla se ha vuelto a fundar dos veces más: en el siglo XVIII y en 1824, cuando fue nombrada ciudad. La palabra Tixtla viene del náhuatl, y a su alrededor hay muchas historias. Para algunos significa "encima del ojo", para otros "superficie llena de piedras" o simplemente "nuestro valle". Hay quienes afirman que la palabra se refiere a un elemento que rodea y atraviesa Tixtla, llenando de vida el valle: el agua. Hablan del *teoixtlen*, el "espejo de los dioses" o el "templo junto al agua", por la laguna que está cerca. Se cree que desde el cielo, los dioses podían asomarse a contemplar su propia imagen en ella. Por eso el poeta Ignacio Manuel Altamirano, que allí nació, decía que Tixtla es el "lugar donde abunda la imagen de Dios". Además de la laguna, Tixtla tiene manantiales, sombreados por ahuehuetes milenarios sabedores de secretos, y coloridas fuentes con cúpulas, que encierran la fantasía de quienes las pintaron.

¡Cómo caben tantas historias en un nombre tan cortito y tanta gente en un pueblo tan chiquito! En Tixtla nacieron famosos personajes como el soldado-artista Margarito Damián y Vicente Guerrero. Por ella pasaron un sinfín de personas que, de las costas o el puerto de Acapulco, de tierra adentro o la creciente Ciudad de México, iban y venían, rodeándola y enroscándose entre montañas y mares, barcos y ferias, coplas y canciones. Sus caminos eran paso de flores, legumbres y cabezas de ganado, arrieros, mercaderes y merolicos, músicos y más músicos.

Tixtla, que hoy en día es un lugar más bien tranquilo y apartado de las grandes carreteras, revive su antiguo bullicio en las fiestas que, a lo largo del año, animan sus numerosos barrios: el Calvario, San Isidro, San Francisco, San Lucas, el Camposanto, Cantarranas, San Antonio... En todos los barrios la gente disfruta de la música. Los músicos tocan muchos géneros, desde el bolero hasta el "chile frito" (música de alientos), marcando el compás de danzas como la de *Los manueles* o *Los tlacololeros*. En Tixtla también se le llama "tarima" al son, que es parte de la grandísima familia de los sones regionales mexicanos —terracalentano, planeco, de artesa, arribeño, jalisciense, huasteco, jarocho, istmeño...— y con ellos comparte algunas canciones de su repertorio, así como el nombre de la fiesta en la que se toca: el fandango.

Los sones de México son primos hermanos: se parecen y son distintos, son de la misma familia, pero cada uno tiene sus gracias. Dicen que en el pasado los tarimeros o bailadores fueron muy famosos en toda la región del centro y la montaña de Guerrero. Palemón sin Zapatos se ganó su apodo porque bailaba descalzo y golpeaba la tarima, además de con los pies, con los codos y las rodillas. Otros grandes tarimeros fueron Pedro Esperanza Vega y doña Isaura Ramírez, quien aún vive. Ambos bailadores están retratados en el hermoso mural que se encuentra

en el patio del palacio del Ayuntamiento. En los acordes del son tixtleco también resuena el recuerdo de los arrieros que encontraban posada, clientes para su carga y público para su guitarra en esta villa y su verde valle.

Las lluvias, portadoras de buenas cosechas, son esperadas y festejadas. Hasta hay palabras especiales para describirlas: los *tlapayahutli*, por ejemplo, son los cortos temporales de gotas continuas y menuditas que caen entre agosto y septiembre. Los rituales de petición de lluvia, muy concurridos, se realizan a principios de mayo. Uno es en el cerro de Pacho, *paxtli*, donde la gente acude a darle de comer al aire, justo en el punto, dicen, en el que se entrelazan los cuatro vientos y el rugido del tigre se oye más fuerte, haciendo que vibren las nubes y así caiga la lluvia. La ofrenda es un petate con una cruz de pétalos de tapayola, sobre el cual se alista la mesa para compartir la comida con el viento. Otro ritual es la peregrinación al pozo sagrado de Oxtotempan, que es un cenote, es decir, un manantial profundo, pero tan, tan profundo, que nadie sabe hasta dónde llega dentro de la tierra. La ofrenda más importante que se le lleva es la *chita*: una vara que los peregrinos cargan en hombros, de donde cuelgan una olla de mole de guajolote, los mejores panes, velas de cera, flores de campo y cadenas de tapayola. Las *chitas* son regalos para el pozo: la gente se las arroja para que su petición de lluvias sea cumplida, y las cosechas salgan buenas y abundantes. Después de la ceremonia, siempre llueve.

Desafortunadamente, entre todas las historias sobre Tixtla hay una que nos habla de la falta de cuidado y cariño por la naturaleza que está haciendo mucho daño a la región. La laguna está cada vez más y más contaminada, los que algún día fueron arroyos ahora son caños, y las aguas negras se han adueñado de varias calles. Cuando hay mal tiempo, la laguna

de repente se desborda e inunda los barrios colindantes, como el Camposanto y Cantarranas. Sin embargo, hay quienes preocupados por esto están luchando para rescatar y cuidar las aguas, y con ellas la vida de todos.

Pero vamos ya, querido lector, a empezar nuestro pequeño paseo a través de las calles, las historias y las fiestas de Tixtla, a ver qué nos reserva esta ciudad tan pequeña que a todos tiene algo que contar.

EL AGUACERO

Ya viene allá el aguacero,
allá viene por la falda.
¡Apúrate, compañero!
Nos va a refrescar el agua.

Ya nos va corriendo el agua
por el filo de la sierra.
¡Apúrate, compañero!
Vamos a entrar a la cueva.

Pobrecito del arriero,
cómo sufre en el camino,
cómo se enfrenta al destino,
abrojos por el sendero.

Allá viene el agua,
me voy a mojar,
va a crecer el río,
no puedo pasar,
adiós, amor mío,
no te pude hablar.

LA INDIA

Para empezar a cantar
se necesita primero
el saberse acomodar
y tener buen segundero,
no nos vayan a chiflar
como a la mula el arriero.

Por vida de mi Dios justo
que, cuando voy a cantar,
poco a poco pierdo el susto
y me empiezo a encarrilar:
los versos salen por dentro
como agua del manantial.

2 Las mujeres del agua

EN MUCHAS PARTES DE MÉXICO SE CUENTA LA LEYENDA DE LA LLORONA, el fantasma de una mujer vestida de blanco que se aparece cerca de los ríos con su famoso grito lastimero: "¡Ay, mis hijos!". Tixtla también tiene su llorona, pero ¿qué creen?… es de guasa. Se cuenta que hace muchos, muchos años, ya casi dos siglos, vivió en Tixtla un muchacho ocurrente y burlón que se llamaba Atiliano Alcaraz. Por esos tiempos se acostumbraban las lunadas: cuando había luna llena, los tixtlecos salían a pasear por las calles del pueblo. Las muchachas montaban caballos o burros, sus novios andaban jalando las riendas y todos iban paseando entre risas, charlas y canciones. Fue al final de una lunada cuando el travieso Atiliano le propuso a sus amigos jugarles una broma a los habitantes del pueblo. Y dicho y hecho, todos buscaron, en la oscuridad, un escondite, cada uno en un barrio distinto, y empezaron a gritar: "¡Ay, mis hijos!". Al día siguiente, los burlones se aguantaban la risa entre dientes al oír a la gente contar, llena de espanto, que la Llorona ya había llegado hasta el pueblo y que se habían acabado las noches tranquilas.

Son otras, en Tixtla, las leyendas que hablan sobre las mujeres de la noche y el agua. Según se cuenta, en la Alberca, un lugar donde grandes ahuehuetes dan sombra a manantiales y pequeños arroyos burbujean entre la hierba, habitan las cihuatatayotas. Desde la época prehispánica, la gente acude a este sitio a bañarse, refrescarse, descansar y disfrutar de la abundante sombra de los árboles. Pero de noche rondar por la Alberca se vuelve peligroso, especialmente para los hombres solos. Se

cuenta que después de que oscurece salen del manantial las cihuatatayotas, que con su apariencia de mujeres bellísimas y su voz musical, cautivan a los incautos, quienes las siguen hacia el fondo del agua… ahí éstas se convierten en monstruos y los devoran.

Pero también se dice que las cihuatatayotas no son malas. Una leyenda cuenta que había una vez dos compadres: uno, un sencillo y generoso zapatero que tenía una joroba; el otro, un hombre adinerado y bien parecido, pero presumido y avaro. Un buen día, el zapatero despertó en la madrugada y, como ya no podía volverse a dormir, decidió ir de una vez a tomar su baño. Cuando ya estaba cerca de la Alberca escuchó, entre risas, aplausos y chapoteos, los cantos de unas mujeres. Cauteloso, se escondió atrás del tronco de un ahuehuete y vio a unas muchachas que jugaban en el agua y cantaban *La canción de la semana*: "Lunes y martes y miércoles tres", cantaba una, y todas las demás reían y palmoteaban. "Lunes y martes y miércoles tres", respondía otra, y todas se zambullían. Contagiado por la alegría de las jóvenes, el zapatero salió de su escondite y contestó cantando: "¡Jueves y viernes y sábado seis!".

Las cihuatatayotas callaron por un instante: estaban tan asombradas que olvidaron esconderse de la mirada del desconocido. Se pusieron muy contentas porque habían aprendido otro verso para su canción, abrazaron al zapatero y se lo llevaron abajo del agua. Ahí, mientras cantaban sus canciones mágicas,

lo acariciaron y le esti-
raron el cuerpo durante muchas ho-
ras, hasta que de su espalda desapareció la joroba. Al
amanecer lo sacaron del agua, se despidieron de él con mil abrazos
y le regalaron, en señal de agradecimiento, una bolsa repleta de monedas de oro.
El zapatero fue corriendo a buscar a su compadre para contarle la maravillosa
historia. Éste, al escuchar la buena fortuna de su amigo, en lugar de alegrarse sintió
una punzada de envidia. Felicitó, zalamero, a su compadre, mientras para sus adentros
pensaba: "¡Si así dejaron al pobre jorobado, qué no harán por mí! ¡Y cuánto dinero me
darán por enseñarles el final de su canción!". El muy engreído no pudo pegar pestaña
en toda la noche, y esa misma madrugada se encaminó rumbo al manantial. Apenas
empezaba a oír las voces de las cihuatatayotas que cantaban "Lunes y martes y miércoles tres, jueves y viernes y sábado seis", cuando corrió hacia ellas, agitando los
brazos y gritando: "¡Y domingo siete!".

Se quedó parado en la orilla, con una sonrisa segura y una mirada altiva. Pero lo que no sabía el compadre era que las cihuatatayotas detestan el domingo, porque es el día en que los humanos no trabajan y se entregan a los vicios que ellas desprecian. Así que las cihuatatayotas se enojaron tanto que sus ondulados cabellos se erizaron, su piel se cubrió de escamas, bajo sus largas pestañas saltaron ojos de sapo, en su boca crecieron dientes de lobo marino y con sus uñas, que se volvieron garras, apresaron al desconsiderado compadre y lo arrastraron bajo el agua, entre rugidos espeluznantes. Ahí lo golpearon, le encogieron las piernas y le doblaron la espalda, hasta dejarlo inconsciente. Al amanecer, más muerto que vivo, lo arrojaron a la orilla, gritándole: "¡Ten, arrogante humano, toma tu domingo siete!".

Era tal la ambición del hombre que cuando despertó, creyó que, por lo menos, le iba a tocar su bolsa de monedas de oro. Imagínense su desazón cuando vio que su domingo siete era… ¡una joroba monumental en la espalda! Ya sin soberbia, llorando su equivocación, regresó a su casa, paso a pasito.

LA CIHUATATAYOTA

Ay, ay, ay, ay,
Cihuatatayota,
con luz de luna,
ríos y manantiales.

LAS MAÑANITAS
GUERRERENSES

Llorar, corazón, llorar,
llorar y seguir llorando,
que no es afrenta en el hombre
el amanecer cantando.

Llorar, corazón, llorar,
llorar muy de madrugada,
que no es afrenta en el hombre
el que llore por su amada.

Llorar, corazón, llorar,
llorar al amanecer,
que no es afrenta en el hombre
llorar por una mujer.

LA MALAGUEÑA

Por esa calle derecha
corre el agua y nacen flores,
donde canta mi negrita
también cantan ruiseñores.

Allí va la que te digo,
va a lavar a la corriente:
gastadero de jabón
y la ropa como siempre.

Ya con ésta me despido,
dándole vuelta a una peña:
aquí se acaban cantando
versos de La malagueña.

3 El Santuario

En otro manantial de Tixtla, entre ahuehuetes majestuosos, se encuentra el Santuario, lugar dedicado a la Virgen María. Se cuentan muchos relatos sobre cómo llegó a Tixtla la escultura de esta Virgen: todos coinciden en que fueron unos viajeros, que se detuvieron en el manantial en busca de agua y descanso, quienes llevaban una virgen que terminó por quedarse.

Hay quienes dicen que la escultura de la Virgen primero viajó de Tixtla hacia la Costa Grande, llevada por gente que huía de una inundación. Tiempo después, de ahí quisieron trasladarla a Puebla para restaurarla; sin embargo, cuando los peregrinos se detuvieron en el manantial de Tixtla, los tixtlecos reconocieron la escultura y ya no les permitieron que se la llevaran. Entre los relatos que más se repiten está el que habla de un viajero que venía desde Puebla, solo y cargando la escultura, a medio camino cayó enfermo y murió, así que la imagen quedó en el lugar. Otros afirman que un grupo de viajeros, que venía de la costa, se detuvo en el manantial y cuando quisieron reemprender su viaje, la virgen que llevaban se volvió tan pesada que ya no pudieron moverla. Los viajeros y la gente del lugar quisieron celebrar el milagro e hicieron una fiesta. Los costeños traían sus coplas, versos que contaban historias del mar, los viajes y las esperas, los cuales se quedaron entre las montañas de Tixtla. También traían sus artesas, que antes habían sido canoas, adornadas a un lado por una cabeza de toro esculpida, para zapatear. Se cuenta que en Tixtla tuvo mucho éxito la música de los

costeños, que dejó huella en el son tixtleco. También sus artesas gustaron mucho y se volvieron tarimas. Ya no llevan figuras esculpidas, pero sí pintadas, y tienen nombre, como *La tigra*; otras tarimas son nombradas según el barrio al que pertenecen, como *La sanluqueña*.

En el corazón profundo de Tixtla laten todas las aguas, saladas y dulces. La fiesta del Santuario, iniciada por la gente de mar y regada por el manantial, es hasta hoy en día la fiesta más grande, más larga y más concurrida de Tixtla. Es más, cuando los otros barrios están de fiesta, el Santuario les presta su virgen, así que, aunque haya encontrado su lugar, sigue recorriendo caminos, como lo hacían antes los arrieros, y como ellos lleva consigo la música. También el fandango se mueve de barrio en barrio y en todas las fiestas tiene su lugar. Los fandangueros más entusiastas hoy en día son los niños, que bailan y bailan sin cansarse u observan atentos a sus padres y abuelos para aprender a tocar y a cantar.

MAÑANITA COSTEÑA

Una mañana costeña,
con cantos del palapal
con arrullos de la luna
y con tumbos de la mar.

Los cuernitos de la luna
coqueteaban con el sol
y los labios de mi chata
tenían un raro sabor:
aromas de mar y brisa
con rayos de luna y sol.

MORENITA MÍA (CHILENA)

Dime, morenita mía,
pues dime si me has de amar
como los marineritos
que navegan en la mar.

Qué haré yo, qué haré yo
si tú te vas a embarcar:
lloraré, lloraré, lloraré,
cuando estés en alta mar.

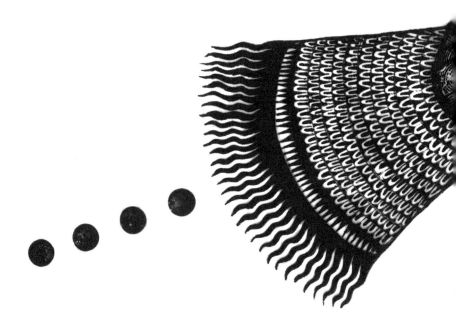

LAS PELONAS

Pongan atención, señores,
llegó un decreto de Roma:
que los hombres usen trenzas
y las mujeres pelonas.

¿Qué tiene esa niña,
tanto que ha llorado?
por andar en bicicleta
su mamá ya le ha pegado.

A las dos de la mañana
se embarcó la vida mía.
¡Malhaya su embarcación
y el piloto que la guía!

Ahí les va la despedida,
mirando la mar afuera:
una enagua bien planchada
hace bonita cadera.

Vamos, vamos, niña,
vamos a la playa,
a comer robalo
antes que me vaya.

LA SANDUNGA

Ésta es la Sandunga nueva
que canta Simón Bolea,
que cuando la está cantando
el agua del mar se menea.

Ay, Sandunga,
Sandunga vamos a ver,
a ver correr el agua,
vamos a verla correr.

Ya con esta me despido,
caminando entre la bruma:
aquí se acaban cantando
los versos de la Sandunga.

EL VAPOR CHILENO

Cuando el vapor chileno
viene silbando, jay,
las negras en el muelle
se andan paseando.

Cuando el vapor chileno
se balancea, jay,
la primera que sale
es Timotea.

Se va el vapor chileno,
ya se despide, jay,
se va al puerto de ensueños,
se va silbando.

Ahora, negra, no desmayes,
¿dónde vas con tan lindo talle?

4 El Encuentro

El encuentro, una de las tradiciones más antiguas de Tixtla, consiste en un desfile de máscaras y música por la calle principal, durante las fiestas del Santuario y de cada barrio. Esos barrios, que alguna vez fueron cuadrillas y caseríos, organizan ahora su propio encuentro, en el que sus habitantes salen a tocar y bailar por las calles de la ciudad que los ha unido.

El Encuentro también tiene sus historias, todas de bienvenida. Muchos cuentan que Martín de Armendáriz —a quien se atribuye la fundación de la ciudad— llegó a Tixtla con el encargo del virrey de poner fin a un problema de tierras, ya que Mochitlán y Atliaca se disputaban su posesión, y la gente, feliz al saber que llegaría alguien para solucionar sus asuntos, salió a su encuentro cantando y bailando. Otros narran que Martín de Armendáriz siempre que venía de México traía una recua de mulas cargada de regalos, y por eso era recibido con bombo, platillo y cohetes. También se dice que el Encuentro es una tradición más antigua aún, que nace de las peregrinaciones a los cerros, cuevas y pozos con ofrendas de comida y regalos, para pedir y agradecer la lluvia.

Los niños esperan el Encuentro con impaciencia: después de haber estado varias semanas practicando y ensayando, por fin llega el momento de salir a divertirse con sus trajes y máscaras. Hay muchos personajes para escoger: a los niños de Tixtla les gusta disfrazarse de tigres, diablos, tlacololeros o calaveras, y pasearse bailando por las calles, haciendo bromitas a las personas sin ser reconocidos. La gente se reúne

Danza
de los
Manueles
Tixtla, Gro

en la calle principal, cerca del centro. Salen padres e hijos que ya quieren ver desfilar a los diablos y a los tremendos tigres, mientras los tlacololeros, defensores de las milpas, dan de chirrionazos en el piso. Bailotean *Los manueles,* en una danza que se burla de un antiguo cacique. Salen los dulceros y andan por ahí los helados y el chilate frío. Los niños se amontonan con la señora de los elotes. También el globero aparece siempre antes de que termine el Encuentro.

Las danzas son representaciones de cosas que pasaron, o se contaron, hace muchos años. Cada danza es una historia y cada traje un personaje. Los niños y adultos que andan disfrazados en los días del Encuentro bailan para representar algunos cuentos, como éste que ahora te vamos a narrar.

EL DIABLO Y EL SAHURÍN
Hace muchos años, cuando Tixtla desde la punta de los cerros parecía un mosaico de puras tejas y zoyate, pasó por ahí el diablo, vestido de hombre elegante, barbado, muy colorado, para hacer una visita sorpresiva a una persona que vivía en el pueblo. Se trataba de un enano que había heredado todas las artes de adivinar de los antiguos mexicanos. No se sabe cómo se llamaba, pero era conocido como el sahurín. Mucha gente de Tixtla y de otros pueblos acudía a visitarlo por sus conocimientos: sabía cómo evitar las sequías, descubriendo los manantiales subterráneos, y muchos otros

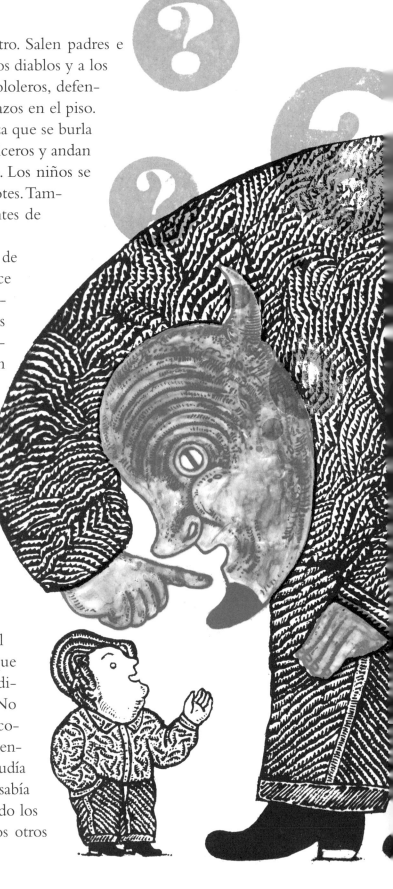

encantos. Un día el sahurín se encontraba curando a un niño del mal aire echado por los chaneques, cuando sintió la presencia del diablo y salió a su encuentro.

El diablo se encontraba paseando por el centro del pueblo platicando con la gente, cuando reconoció al sahurín, enseguida se le acercó para hablar con él y le dijo:

—Sahurín, vine a retarte porque mis informantes dicen que por tu culpa cada vez tengo menos seguidores en este pueblo. ¿Es eso cierto?

El sahurín, convencido de que el diablo venía a cobrarle el reto con la vida, le contestó:

—No sabía que habías venido para verme a mí, ¡es un honor!

El diablo, que estaba muy enojado, lo citó a la media noche en las faldas del cerro de Xompito, para que lucharan por el dominio del pueblo.

El sahurín no sabía qué haría para vencer al diablo. Así que consultó a los astros antes de acudir ssu cita, quienes le dijeron que necesitaría fuerzas de agua y de tierra. Al llegar las doce, tomó un hachón de ocotes y salió a la oscuridad, corriendo hacia el lugar de reunión. El diablo, que ya lo estaba esperando impaciente, se acercó y le dijo:

—Te desafío a mover este cerro de aquí hacia el otro lado de la laguna.

—Como la propuesta es tuya, tú serás el primero en intentarlo —dijo el sahurín tratando de ganar unos segundos para ponerse de acuerdo con los animales y jugarle una mala pasada al diablo.

El diablo se acercó al cerro y, confiado de su fuerza, le dio un golpe con su pata de cabra. Sin embargo, el sahurín había dado la orden para que, al mismo tiempo, todas las lombrices del cerro, que eran millones, se sujetaran tan fuerte, que nada pudiera separarlas; así que el cerro no pudo salir volando. Le tocó el turno al sahurín, y apenas soltó la patada con su minúsculo pie, todas las lombrices cargaron el cerro, que salió volando a través de la laguna, y fue así como se formó, del otro lado del valle, la lomita de Texcaltzin.

El diablo, enojadísimo porque no pudo ganarle al sahurín, le dijo:

—Sahurín, has ganado, pero sospecho que usaste tus artes adivinatorias para que el cerro saliera volando con una patada menos fuerte que la mía.

—No, tú no lograste mover el cerro porque confiaste demasiado en tu fuerza y uno no se puede confiar de la tierra, porque es más fuerte que todos nosotros —contestó el sahurín y añadió—: pero si quieres, como señal de respeto, puedes darme otra tarea. Aunque si esta vez no ganas, no podrás irte de este pueblo, pues te convertiré en una roca. El diablo aceptó y lo retó a que vaciaran de una sola spatada el agua de la laguna. De nuevo, el diablo intentó abrir con su pata una grieta que desaguara toda la laguna, pero otra vez las lombrices sujetaron la tierra con tanta fuerza, que sólo alcanzó a abrir una barranca por la que el agua no pudo salir. Le tocó, entonces, el turno al sahurín, quien se acercó a la barranca que había creado el diablo y escuchó el croar de las ranas y los sapos, que lo guiaban. Mientras asestaba una patada entre unos peñascos, ordenó rápidamente a un grupo de topos que excavaran un resumidero. En poco menos de dos horas, se vació toda el agua de la laguna.

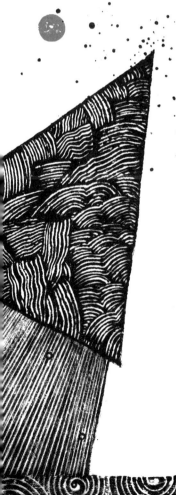

El diablo no podía creer lo que había pasado. Y es que el sahurín era muy astuto y con sus artes de adivinación pudo saber los retos que el diablo le lanzaría. Pero no podía vencerlo solo, así que, siguiendo el consejo de los astros, recurrió a la ayuda de todos los animales.

El diablo quiso salir corriendo, pero, antes de que pudiera huir por la barranca, el sahurín invocó a la tierra y al viento: con un solo soplido del aire, el diablo se convirtió en roca. Tixtla se liberó de su presencia, y el sahurín demostró que la inteligencia y la cooperación pueden vencer hasta a los más poderosos.

Hoy en día, todo aquel que visita Tixtla puede ver los restos de aquella batalla. Por el barrio del Camposanto, al dirigir la mirada hacia el lago, se observa a la derecha la lomita de Texcaltzin y, a la izquierda, entre los cerros, enfrente de la laguna, la barranca de Xompito, donde dicen que se encuentra, hecho rosca en una piedra, el mismísimo diablo.

LA CALANDRIA

Pero a mí me gusta el huango,
aunque no tengo gobierno,
yo te he de hacer un fandango
en las puertas del infierno.

Pero a mí me gusta el huango,
aunque no soy embustero,
yo te he de hacer un fandango
en las alas del sombrero.

Pero a mí me gusta el huango,
aunque no soy revoltoso,
yo te he de hacer un fandango
en la punta del rebozo.

LA PERIQUITA

Señora, su periquito
me quiere llevar al río
y yo le digo que no,
porque me muero de frío.

Señora, su periquito
me quiere llevar al agua
y yo le digo que no,
porque me mojo la enagua.

5 Las ranas

Algunos barrios de Tixtla se trepan por los cerros, otros se extienden por el valle. De éstos, uno de los más cercanos a la laguna es el barrio de Cantarranas. Por eso, como nos cuenta su nombre, está lleno de ranas, que se salen del agua para aventurarse por el pueblo a llevar sus serenatas. Muchas de ellas, ¡pobrecitas!, no tienen suerte y terminan aplastadas por los coches. Pero otras han despertado la atención y la fantasía de los vecinos del barrio, quienes han decidido pintarlas en las paredes de sus casas, junto al número, dando la bienvenida. Así, muchas ranas, desde las entradas y las esquinas, a menudo les sonríen a los transeúntes, recargándose en un hongo o fumando un cigarrillo. Otras se dedican al mismo oficio que el dueño de la casa: puedes encontrarte a una rana fotógrafa, una rana pintora, una rana dentista… En los días de fiesta, como la de Santa Cecilia, patrona de los músicos, les encanta tocar la vihuela y el cajón en el fandango.

En Tixtla, los animales de la laguna son los protagonistas de antiguos rituales y leyendas. Una de ellas cuenta que antes los habitantes de Atliaca, otro de los barrios de Tixtla, iban en peregrinación desde su pueblo hasta un oratorio en una cueva del cerrito de Texcaltzin, llevando en andas a su sacerdote: un hombre en cuclillas, a quien le decían "el viejo ranero" o "ranero" por esa postura, que imitaba a una rana sentada. Otros narran que se le conoce así por su gusto de comer ranas. El viejo ranero también era, según otras historias, quien custodiaba Tixtla desde otro cerro, el de Xomistlo, que en su cima tiene

una laguna. Cuentan que una vez el ranero se distrajo, y las piedras que él estaba vigilando se voltearon: así fue como se vino abajo, desde lo alto del cerro, la gran inundación que en tiempos lejanos sumergió Tixtla. Los dioses, se dice, castigaron al viejo ranero por descuidar su encargo: por eso él todavía se encuentra en la orilla de la laguna del cerro Xomistlo, tejiendo mecapales para amarrar las piedras e impedir que el agua de la laguna se vuelva a derramar. Otros cuentan que no está en la orilla de la laguna, sino dentro de una cueva del mismo cerro: ahí se la pasa teje y teje, con las raíces de los árboles, una cortina o red capaz de contener el agua y proteger el pueblo, y que el día en que deje de tejer, Tixtla se va a inundar.

Al parecer, al viejo ranero le gustaba vivir en las cuevas: tenía varias en los cerros de Xomistlo, Xompito, El Organal, y su cueva favorita en el de Texcaltzin, donde hoy se encuentra el barrio de San Antonio. Dicen que hubo un tiempo en el que sintió mucha nostalgia de su casa y pensó qué podía hacer para no tener que abandonarla nunca. Una noche de abril de hace muchos, muchos años, el viejo ranero se le apareció a un campesino que cuidaba su huerta. La noche era muy oscura y el huertero se asustó. Sin embargo, el ranero le habló dulcemente:

"Hijito, perdona que te ande desvelando. ¡Permíteme descansar un rato en tu choza! Estoy muy viejo y cansado de andar, mis piernas ya no me acompañan y hasta mi cabeza tiembla. Te ruego que me dejes prender lumbre para cocinar mi alimento, vengo desde Tuxpan caminando sin parar."

El campesino, enmudecido, lo vio prender fuego de la tierra y, temblando, se preguntó, "¿quién será?".

"No debes temer. Soy el que cuida y manda las aguas del valle. Me puse en camino porque tengo hambre, mis ranas se acabaron", le dijo el ranero, adivinando sus pensamientos.

El ranero sacó de su morral unas pocas ranas y las puso a rostizar. Cuando estuvieron listas, quiso compartirlas con el campesino, quien, recibiendo dos ranas doraditas en sus manos temblorosas, pensó: "Sin duda es el viejo ranero, ¿quién más puede prender lumbre de la tierra? ¿Qué querrá de mí?". De nuevo, el ranero adivinó lo que pensaba y le dijo:

"Hijo, quiero que tú y todos tus hermanos, los que cultivan las tierras de este valle, tapen a cal y canto todos los resumideros de mi laguna, para que el agua se quede ahí para siempre y nunca me falten ranas para comer. Si cumplen lo que les pido, los bendeciré con fortuna y prosperidad."

Cuando acabó de hablar, se levantó, tomó sus ranas y desapareció en los caminos de la noche. Pero el campesino no le contó a nadie su encuentro con el viejo ranero, por miedo a que pensaran que estaba loco. El ranero no tuvo más remedio que aparecerse a muchos otros campesinos de la zona, hasta que finalmente le hicieron caso. Y así fue como la laguna se quedó para siempre en el valle de Tixtla, y el viejo ranero sigue teniendo sus ranas y procurando que caigan lluvias suficientes para que la tierra siga fértil y la laguna no se seque.

EL SAPO

Dicen que los sapos muerden
agarrándolos de tarde,
la otra tarde agarré un sapo,
se lo llevé a mi compadre.

Dicen que los sapos muerden
agarrándolos de noche,
la otra noche agarré un sapo,
lo llevé a pasear en coche.

Dicen que los sapos muerden
nomás cuando está pardeando,
la otra tarde agarré un sapo,
me lo llevé vacilando.

Dicen que los sapos muerden
agarrándolos del agua,
en el agua agarré un sapo
pero a mí no me hizo nada.

Con ésta, y no diré más,
el sapito se despide,
ya se va a nadar muy lejos
y me dice: no me olvides.

EL PATO

Y a mí me nombran el pato, patito,
porque vivo entre las flores,
recógeme en venir, patito,
ya viene el pato de amores, patito.

Y a mí me nombran el pato, patito,
porque vivo en el carrizo,
recógeme en venir, patito,
ya viene el pato cenizo, patito.

Y a mí me nombran el pato, patito,
porque vivo entre lo hondo,
recógeme en venir, patito,
ya viene el pato redondo, patito.

Con ésta, y no diré más, patito,
el patito se acabó,
que se acabe enhorabuena, patito,
como no me acabe yo, patito.

6 La carreta y el pozo

LA MÚSICA Y EL BAILE SIEMPRE HAN FORMADO PARTE DE LA VIDA DE TIXTLA. Los mayores reviven las noches en las que, entre todos los niños del barrio, se inventaban tarimas e improvisaban fandangos. Isaura Ramírez, doña Chahuita, una de las tarimeras de aquellos tiempos, recuerda:

"Desde niña aprendí a bailar. Mi papá nos enseñó a mi hermano y a mí el amor por el son. Una vez hasta mandó a ensanchar la calle para que pudiera caber una tarima que se ocuparía en el fandango. Después trajo una carreta de la costa, y le mandó hacer un cajón. En el día la utilizaban en el campo, y el sábado en la noche todos los vecinitos de por acá, chamacos, nos subíamos al cajón de la carreta, unos sentados aquí, otros allá, y los bailadores en medio. Mi hermano tocaba la jarana y cantaba, otros lo acompañaban en la cantada, y los demás bailábamos. El fandango era nuestra diversión, pues antes no había televisión.

"Afuera de la casa, en el corredor, también había un pozo de agua, redondo y profundo. Mi papá mandó poner una tapa de madera, pesada, para que no la pudiéramos quitar y así evitar un accidente. Entonces, también ahí bailábamos, una pareja sobre la tapa del pozo, y los demás alrededor, sentados ahí en banquitos, o en el piso. ¡Claro que resonaba bonito! Porque el pozo estaba hondo…"

En el regazo de la tierra, las aguas profundas de Tixtla, sabedoras de todas sus leyendas, atesoran también los ecos de aquellos fandangos. A todos nos corresponde cuidarlas para que por mucho, mucho tiempo, sigan reverdeciendo el valle y contándonos historias.

LOS MARIPOSITOS

Señora, la barca es mía
y los remos son de usted.
Usted váyase en la barca,
que yo por tierra me iré.

Señora, la barca es mía,
vámonos a navegar.
Usted váyase en la barca,
que yo me tiro a nadar.

Señora, traiga los remos,
vámonos a navegar.
Si no sabe, manejando
yo le enseñaré a bogar.

Señora, la barca es mía
y el marinero es mi amigo,
si quiere, le digo adiós,
si no, ni adiós le digo.

Señora, la barca es mía,
ya me voy a retirar.
Usted váyase en la barca,
que yo me voy a bailar.

A los remos, muchachos, ¡sí!
a los remos, muchachos, ¡no!

LA COSTEÑITA

Una sirena cantaba,
cantaba con alegría,
en su cantito decía:
"costeñita de mi vida".

De la peña nace el agua,
del agua muchos colores,
¿dónde quedó cautivada
la dueña de mis amores?

Ya con ésta me despido
al pie de una amapolita,
aquí se acaban los versos
de la linda costeñita.

Vámonos tirando al mar
para juntar caracoles:
tú junta los colorados
y yo de todos colores.

Glosario

Ahuehuete: árbol originario de México. Del náhuatl *ahuehuetl,* 'árbol que nunca envejece' o 'árbol viejo de agua'. Puede llegar a medir hasta catorce metros de diámetro y cuarenta de altura.

Arriero: persona que trabaja transportando diversas mercancías con bestias de carga.

Chaneque: duendecillo a quien se atribuye el poder de causar algunas enfermedades y malestares.

Chilate: bebida fría a base de cacao.

Chirrionazos: latigazos (de chirrión, 'látigo').

Chita: náhuatl, 'toma tu alimento'.

Cihuatatayota: náhuatl, 'la que pone orden en lo existente'. También significa 'mujer que espanta'.

Cuadrilla: zona habitacional donde residen pobladores indígenas.

Hachón: antorcha grande que se usaba para alumbrar las calles.

Laguna: así le llama la gente de Tixtla, aunque en realidad sea un lago, porque no tiene salida directa al mar.

Mecapal: náhuatl, faja con dos cuerdas en los extremos que sirve para llevar carga a cuestas, poniendo parte de la faja en la frente y las cuerdas sujetando la carga.

Merolico: persona que se dedica a la venta ambulante y anuncia a gritos su mercancía.

Palapal: conjunto de palapas, construcciones techadas con palma.

Resumidero: conducto subterráneo que permite el paso del agua.

Sahurín: también *sahori,* palabra de origen árabe. Persona que sabe curar, que conoce lo que otros no y que puede saber fácilmente lo que los demás piensan.

Sandunga: mujer de tierra caliente, alegre y agraciada. La Sandunga es también un conocido vals tradicional del Istmo de Tehuantepec.

Segundero: el cantador que hace segunda voz, repitiendo o contestando lo que dice el pregonero.

Tapayola: nombre local de la flor de cempasúchil.

Texcaltzin: náhuatl, 'venerable peñasco'.

Tigre: nombre que en Guerrero se le da al jaguar.

Tzapotecuhtli: náhuatl, 'señor de zapotes'.

Vapor: barco de vapor.

Xomistlo: náhuatl-mixteco, 'raíz de agua'.

Xompito: nombre local que proviene de 'chompa', que significa amigo y en forma diminutiva amiguito.

Zalamero: quien hace demostraciones de cariño afectadas y empalagosas.

Zamba: mujer hija de india y negro, o de negra e indio.

Zoyate: variedad de palmera, cuyas hojas se pueden utilizar para techar casas.

Bibliografía

ACUÑA, René (ed.), *Relaciones geográficas del siglo XVI*, Tlaxcala, UNAM, 1985.

ALANÍS, Isaías (comp.), *La música de Guerrero. Del surco a la guitarra, conjuro y memorial*, Acapulco, Gobierno del Estado de Guerrero, 2005.

BELLO BASILIO, José, *Tixtla, Espejo de los dioses. Biografías, danzas, leyendas y tradiciones*, Tixtla, Imprenta Candy, 2002.

CERVANTES BASILIO, Juan (comp.), *Cancionero popular guerrerense. El fandango en Tixtla*, Tixtla, s. e., s. f.

CONTRERAS ORGANISTA, Héctor (comp.), *Cancionero guerrerense*, Chilpancingo, Instituto de Investigación y Difusión de la Danza Mexicana, 2007.

GARCÍA REYNOSO, Melchor, *Tixtla. Vocablo náhuatl, su etimología*, Tixtla, Ateneo Tixtleco, 1989.

LÓPEZ DE NAVA, Guadalupe Juana, *El Santuario de la Natividad de María*, Chilpancingo, Impresos Arroyo, 2006.

OCHOA CAMPOS, Moisés, *La chilena guerrerense*, Chilpancingo, Gobierno del Estado de Guerrero, 1987.

VÉLEZ CALVO, Raúl y Efraín Vélez Encarnación, *¡Vámonos al fandango! El baile y la danza en Guerrero, México*, Instituto de Investigación y Difusión de la Danza Mexicana/Gobierno del Estado de Guerrero/Conaculta, 2006.

Fonografía

Cihuatatayota, Grupo Yolotecuani, Estudios Bambú, 2001.

Fandango de arpa, Grupo As del Sur, grabación independiente, 2002.

Fandango tixtleco, Grupo Los Abajeños, grabación independiente, s/f.

Fandango tixtleco. Sones de tarima, Grupo Los Fandangueros, Compañía Fonográfica Estatal, 2003.

La Petenera, Grupo Los Abajeños, grabación independiente, s/f.

Pueblo y fiesta. Sones de Tixtla. Homenaje a Laura Rodríguez, Grupo Yolotecuani, Conaculta/PACMYC/Ediciones M, 2006.

Sones de tarima, Grupo Los Azohuastles, Instituto de Arte y Cultura de Chilpancingo, 2001.

Sones de tarima de Guerrero, Grupo Yolotecuani, CNCA–DGCP/Antiguo Colegio de San Ildefonso/Agave Music, 1997.

Sones de tarima de Tixtla, Guerrero, Grupo Alma Tixtleca, Calypso Productions/Digital Music, 2007.

El toro de San Lucas, Grupo As del Sur, grabación independiente, 2002.

¡Vámonos al fandango! El baile y la danza en Guerrero, varios grupos, Instituto de Investigación y Difusión de la Danza Mexicana/Gobierno del Estado de Guerrero/Conaculta, 2006.

Cihuatatayota, letra original de Agustín Barrios, música de David Peñalosa. La costeñita, letra original de Juan Dircio. Hasta donde sabemos, los demás sones son del dominio público. No obstante, Ediciones El Naranjo se pone a disposición de los autores que no se hayan mencionado para otorgarles el crédito correspondiente.

Agradecimientos

Entrevistados: Cirino López Bello, Brígido Basilio, Carlos Bello, Ángel González, Vicente González, Rosita Gudiño, Javier Lara, Guadalupe López, Cornelio Miranda, Vicente Ojeda, Isaura Ramírez, Adrián Santos, Juan Valle, Efraín Vélez y Raúl Vélez.

Gracias también a Alejandro de la Rosa, Roberto Flores Leyva, Josefina Deloya, Estela Vega, la señora Francisca, Chave y José, Pedro Esperanza Vega, Francisco Vega, la abuela Ricarda y a toda la familia Deloya Lázaro.

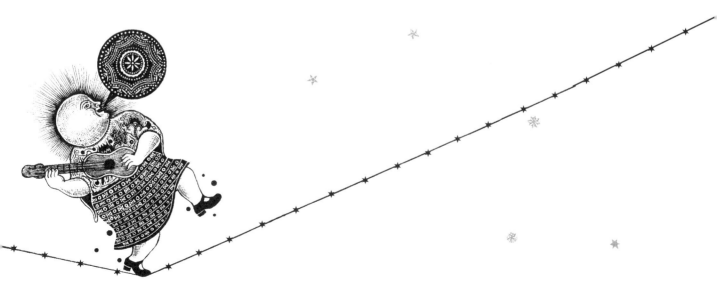

Semblanzas autores

Caterina Camastra Desde niña soñé con viajar y creo que corrí con suerte, porque me puse manos a la obra, pude cumplir algunos de mis sueños y recorrí varios caminos. Además, como siempre me ha gustado leer, que es otra manera de viajar aunque sea cabeza adentro, también recorrí el mundo de las palabras y las imágenes, ése que espera entre las guardas de muchos libros. La aventura no terminó ahí, porque me dio por empezar a escribir, para, como dice mi amiga Verónica, poder regresar a los lugares que, al terminar de leer un cuento o una novela, se habían cerrado. Cuando viajamos, cuando leemos, cuando escribimos, siempre emprendemos y compartimos caminos. Así fue como un día conocí Tixtla, primero de oídas, gracias a Héctor Vega y a sus historias acerca de un bisabuelo labrador de cantera y bailador de tarima. Luego pude ver jaguares bailarines y sapos tocando la vihuela, cadenas de tapayola y ahuehuetes sombreando manantiales. En *Fiestas del agua* encontrarás todas estas historias para que tú, *caro lettore*, las puedas escuchar, ver y sentir… ¡Buen viaje!

Héctor Vega Cuando era niño no había Internet ni televisión por cable y para entretenerme me gustaba formar palabras con la sopa de letras y hojear, una y otra vez, dos enciclopedias que tenía en casa. Aunque me gustan los libros, confieso que nunca pensé en escribir uno. Fiestas del agua lo escribí de la mano de Caterina, con ella me puse a platicar sobre Tixtla y ubiqué cada una de sus fiestas en su justa dimensión y espacio, describí paisajes, máscaras, cantos, danzas y leyendas… De la mano de Julio descubrí nuevos colores, texturas y formas nunca imaginadas. Este libro es un ejemplo de que el amor por la vida y por la fiesta habita en todos nosotros, y sólo por eso, vale la pena seguir escribiendo y leyendo.

Julio Torres. Disfruto la historia, la literatura, la música y las artes visuales. Como a los niños de Tixtla, me gusta ponerme diferentes máscaras para hacerme pasar por otras personas, vivir varias vidas al mismo tiempo, como lo hacen los actores, y así disfrutar más de las fiestas. Mi vida se reparte entre imágenes, colores y libros, pero la música es también mi motor, y disfruto bailándola o tocándola a la menor provocación. Al igual que el famoso educador Comenius, creo que las artes no sólo existen para gozar de ellas, sino también para aprender y que, a través del tiempo, serán éstas las que nos ayuden a desarrollarnos mejor como personas y ciudadanos de nuestro país.

FIESTAS DEL AGUA

se imprimió el mes de mayo de 2012, pero antes de llegar a los talleres de Leo
Paper Products, en China, hizo falta mucho empeño y mucho entusiasmo,
muchas manos y muchos ojos. Los escritores recorrieron las páginas
de varios libros y las calles de Tixtla para conocer las leyendas, las fiestas
y la música de esta ciudad. El ilustrador combinó el grabado, la litografía
y la pintura; y con una plumilla, litros y litros de tinta china y tres
colores —el rojo, el negro y el azul— trabajó 114 hojas de acetato: tres
por cada ilustración. Después, había que darle forma al libro,
entonces, con gran tesón, el director, el editor, el corrector
y el diseñador hicieron que *Fiestas del agua*, no sólo
fuera las fiestas de Tixtla, sino también una fiesta
de palabras, formas, líneas, colores
e imaginación.